張猛龍碑（選字本）

彩色放大本中國著名碑帖

孫寶文 編

上海辭書出版社

魏魯郡太守張府君清頌之碑

□諱猛龍字神冏南陽白水人也其氏族分興源流所出故已備詳世録不復具載

君隆龍字神冏
南陽白水人也其
武林承天興源流所
故邑備詳世
復其載録水

盛蓊欝於帝皇之始德星曜像於朱鳥之間淵玄万壑之中嵷巖千峰之上弈葉清高焕

乎篇櫝矣周宣時□仲詩人詠其孝友光緝姬中興是賴晉大夫張老春秋嘉其聲績

漢初趙景王張耳浮沉秦漢之間終跨列土之賞才幹世□君其後也魏明帝□初中西中

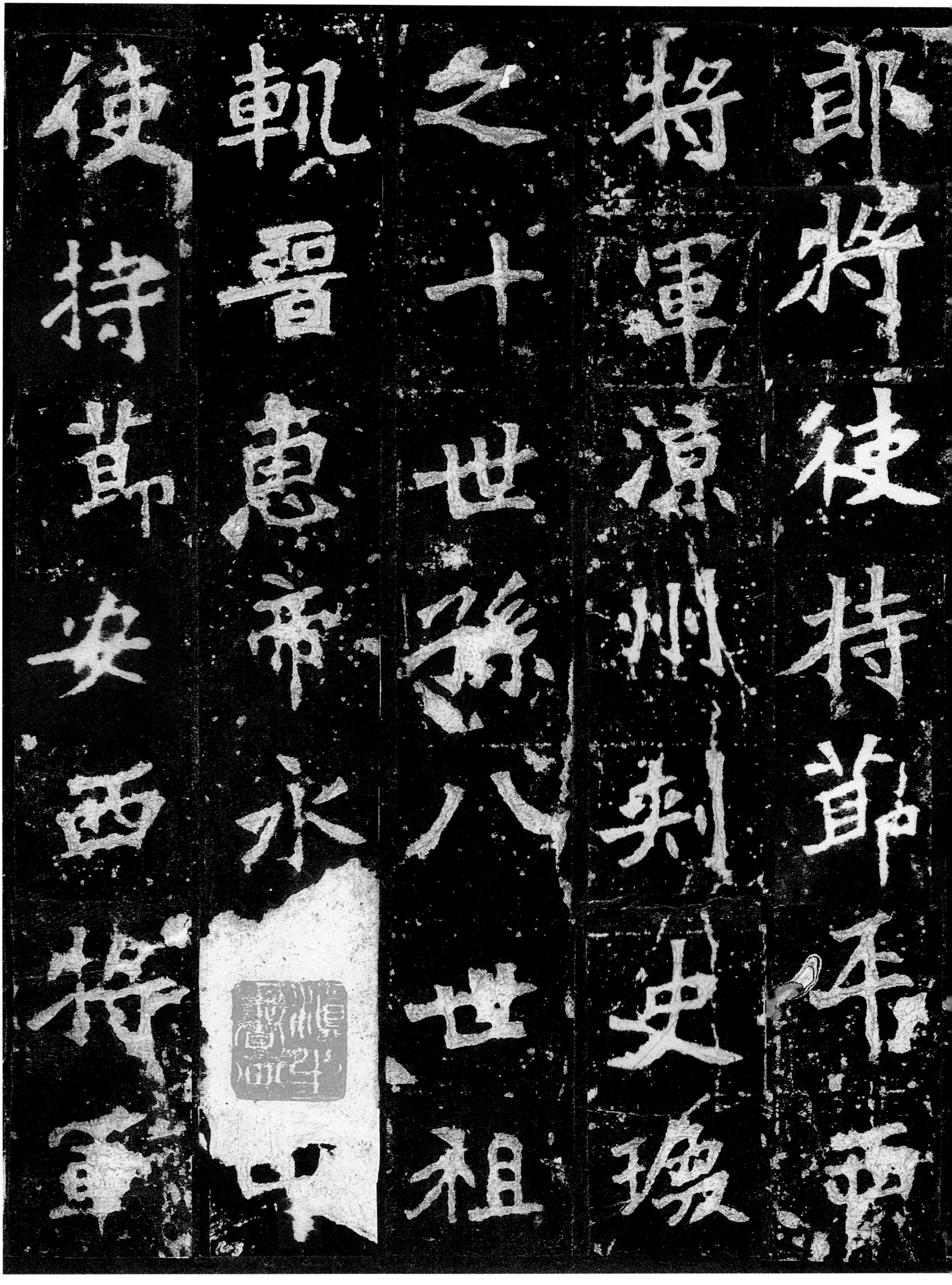

郎將使持節平西將軍涼州刺史瑍之十世孫八世祖軌晉惠帝永□中使持節安西將軍

護羌校尉涼州刺史西平公七世祖素軌之第三子晉明帝太寧中臨羌都尉平西將軍西

海晉昌金城武威四郡太守遂家武威高祖鍾信涼州武宣王大沮渠時建威將軍武威太

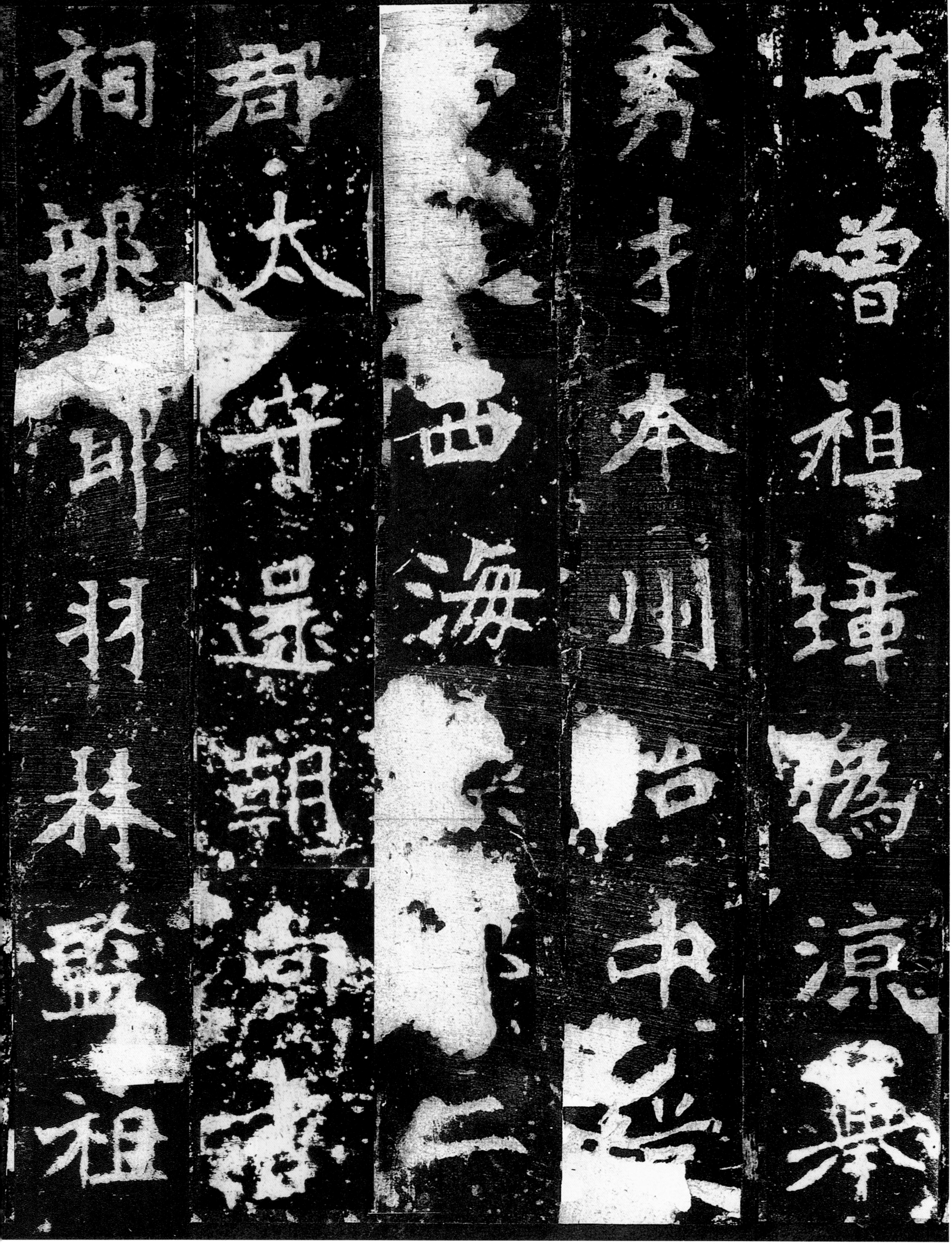

守曾祖璋僞涼舉秀才本州治中從□□西海□□二郡太守還朝尚書祠部郎羽林監祖

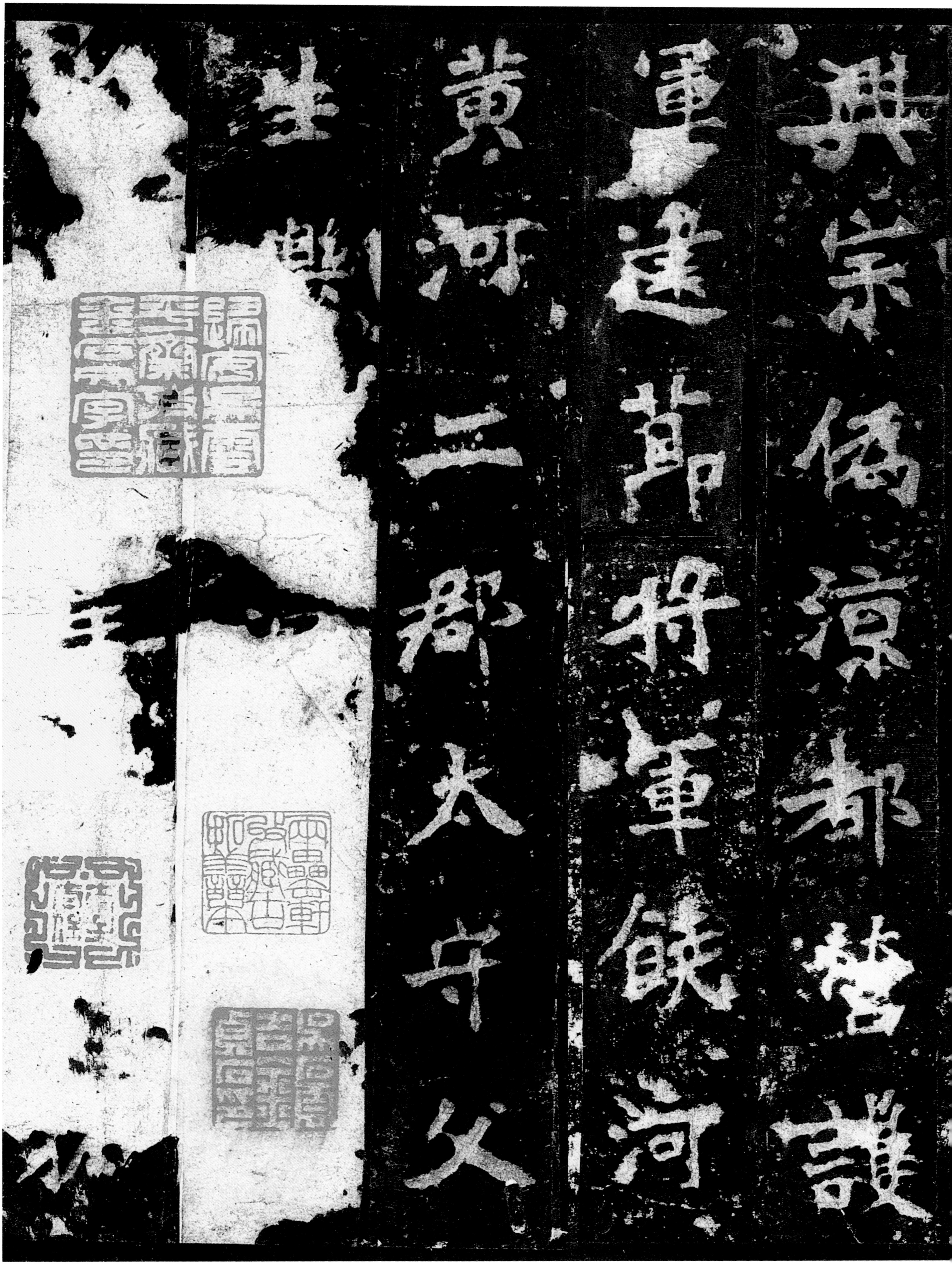

興宗僞涼都督護軍建節將軍饒河黄河二郡太守父生樂

□□歸國青衿之志白首方堅君體禀河靈神資岳秀桂質蘭儀點弱露以懷芳松心□□

□戌自□□朗若新蘅之當春初荷之出水入孝出第邦閭有名雖黄

金未應無慚郭氏友朋□□交遊□□□□超遥蒙等人表年廿七遭父憂寢食過禮泣血

情深假使曾柴更世寧異今德既傾乾覆唯恃坤慈冬温夏清曉夕承奉家貧致養不辭采

運之慗年卅九丁母艱勺飲不入偷魂七朝磬力盡思備之生死脱時當宣尼無愧深歎每□

過人孤風獨超令譽日新聲馳天紫以延昌中出身除奉朝請優遊文省朋儕慕其雅尚朝

廷以君蔭望如此德□宣暢以熙平之年除魯郡太守治民以禮移風以樂如傷之痛無怠

於夙宵若子之愛有懷於心目是使學校剋脩比屋清業農桑勸課□織以登入境觀朝莫

不禮讓化□無心草石如變恩及泉水禽魚自安勝殘不待賒年有成期月而已遂令講習

之音再聲於闕里來蘇之歌復詠於洙中京兆五守無以尅加河南二尹裁可若茲雖名位

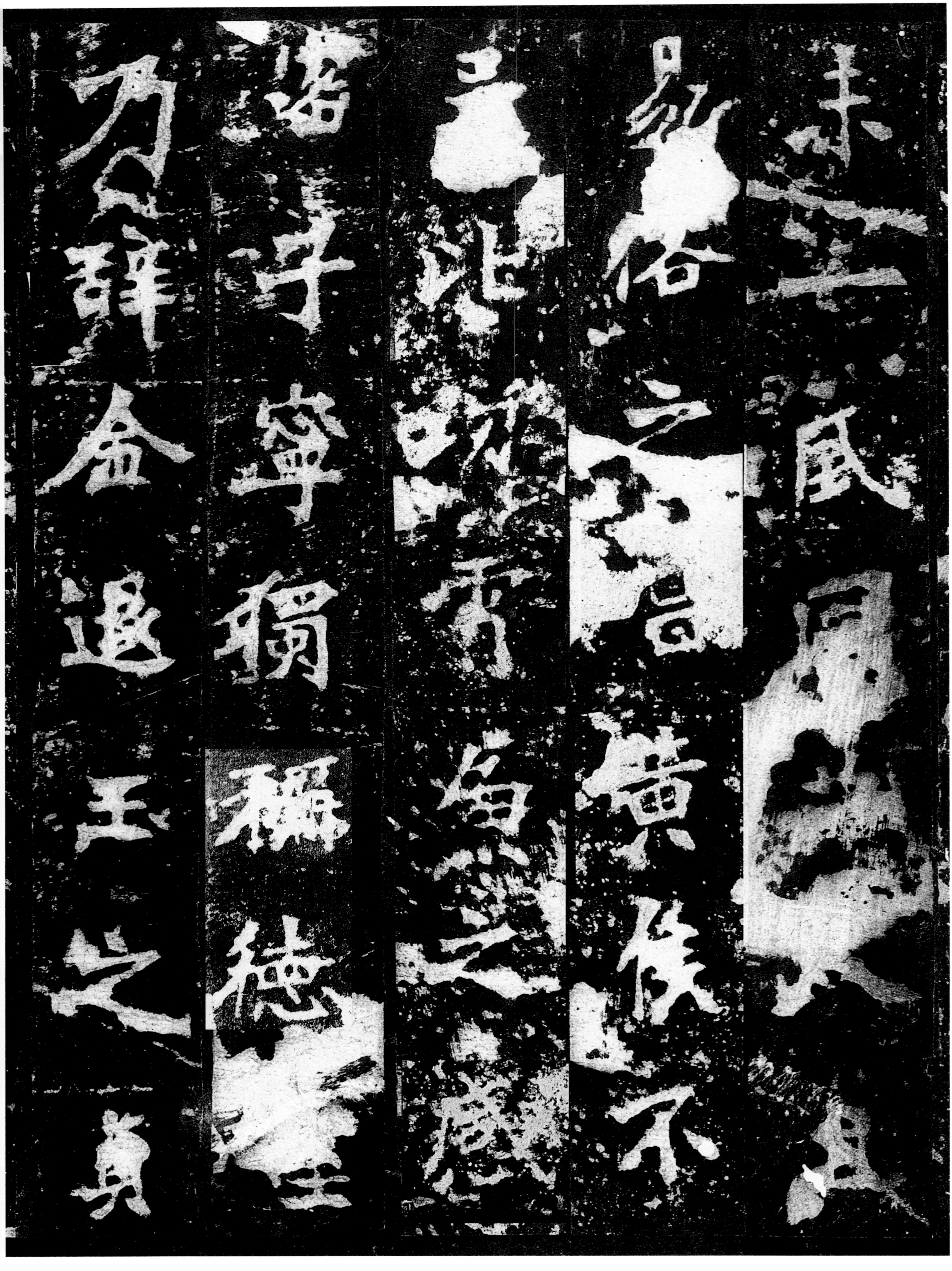

未一風□□□且易俗之□黄侯不足比功胥魚之感密子寧獨稱德至乃辞金退玉之貞

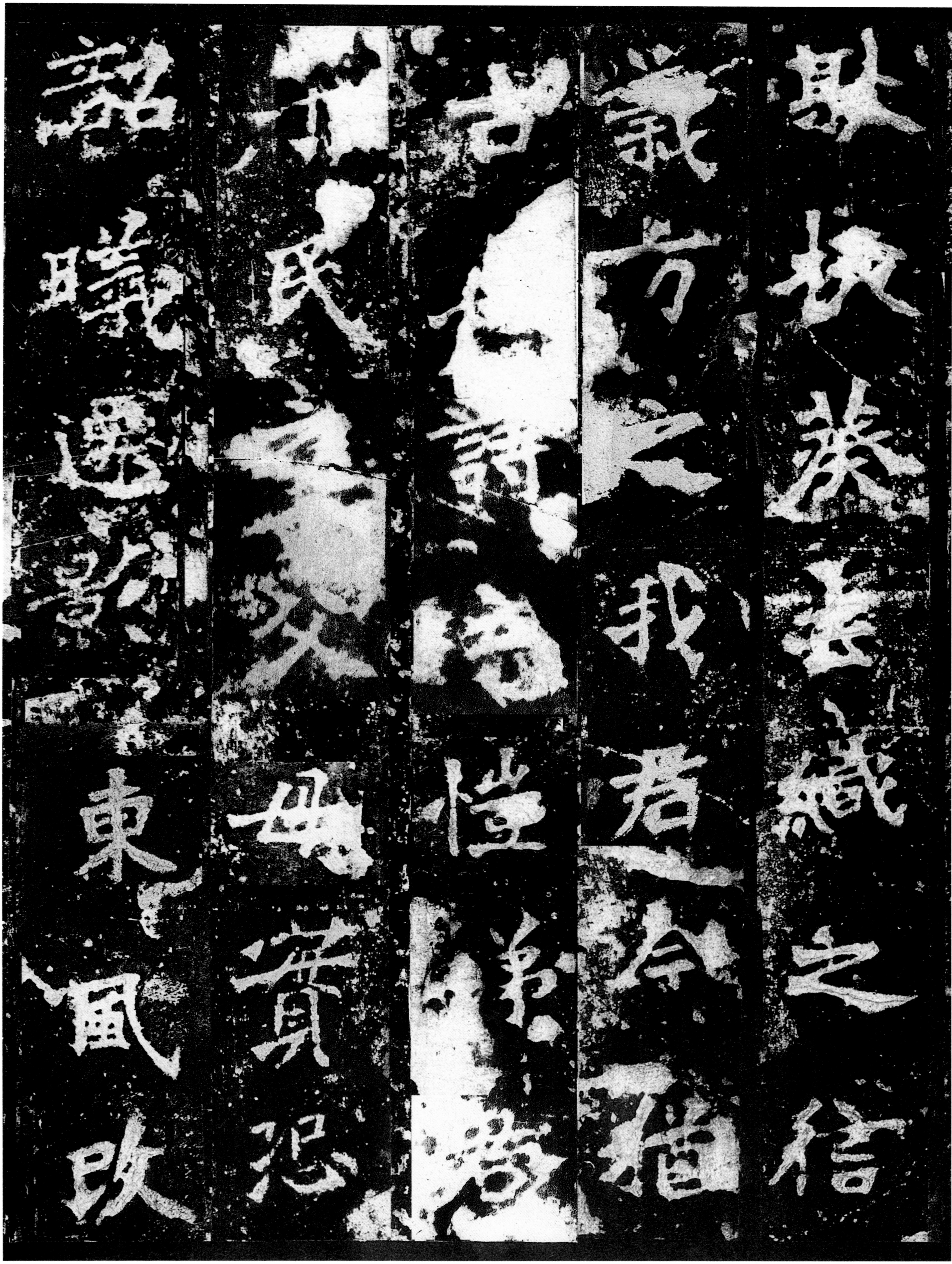

耿撥葵去織之信義方之我君今猶古也詩云愷悌君子民之父母實恐韶曦還影東風改

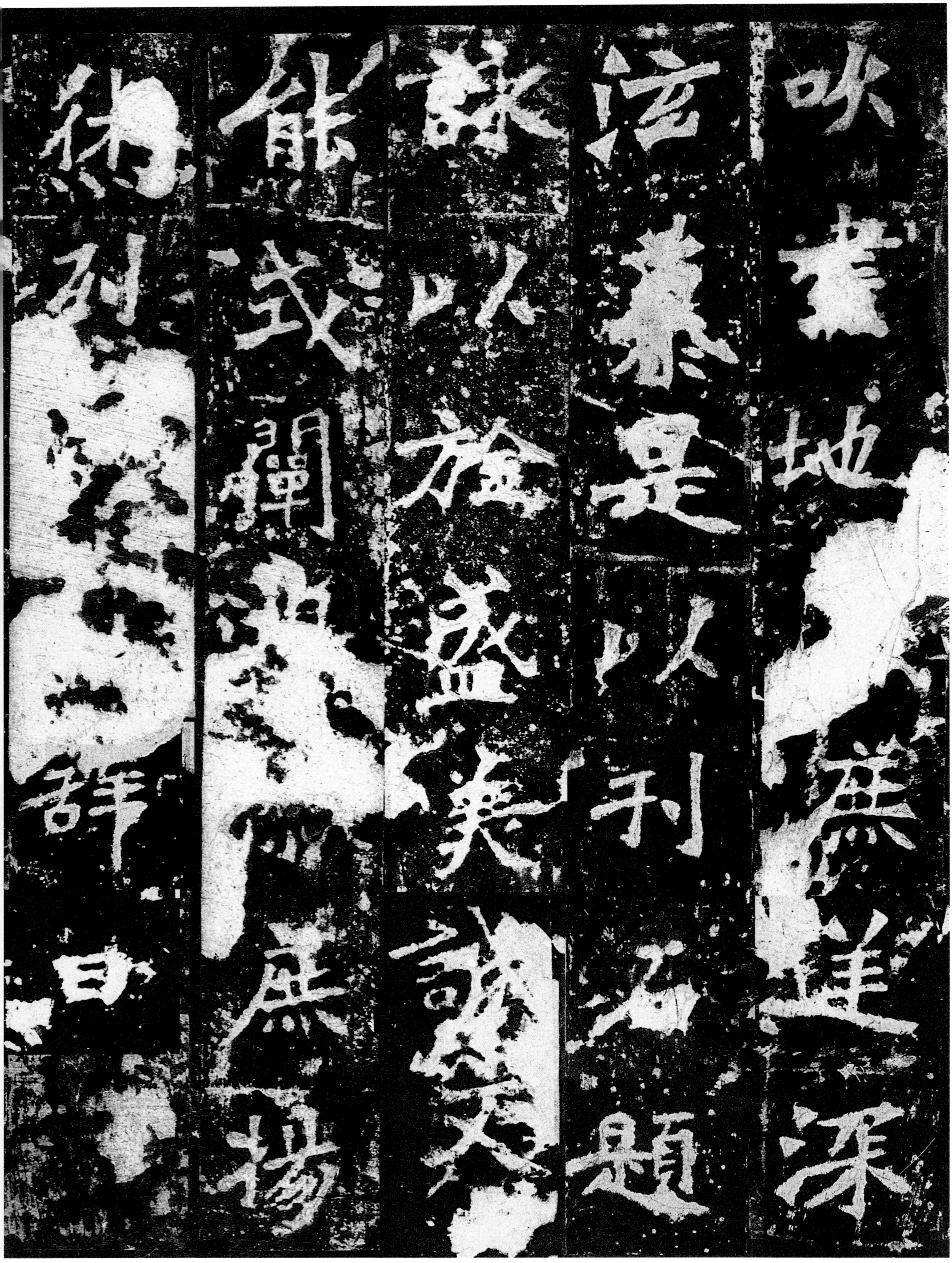

吹盡地□庶逆深泫慕是以刊石題詠以旌盛美誠文能式闡鴻□庶揚烋烈□□辞曰□

氏煥天文體承帝胤神秀春方靈源在震積石千尋長松万刃軒冕周漢冠盖魏晉河靈岳

秀月起景飛窮神開照式誕英徽高山仰止從善如歸唯德是蹈唯仁是依栖遲下庭素心

若雪鶴響難留清音遐茇天心乃眷觀光玉闕浣紱紫□承華烟月妙簡□□剖符儒鄉分

金沂道裂錦鄒方春明好養温而□霜乃如之人寔國之良禮□□□□□□□之恤小大

以情□□□洗濯此群冥雲褰天净千里開明學建禮脩風教反正野畔讓耕林中

□□□□衣可改留我明聖何□勿剪恩深在民何以凫愭風化移新飲河止滿度海迷津

勒石圖□永蕩寇將軍魯郡丞北平□□□□□□義主參軍事廣平宋撫民

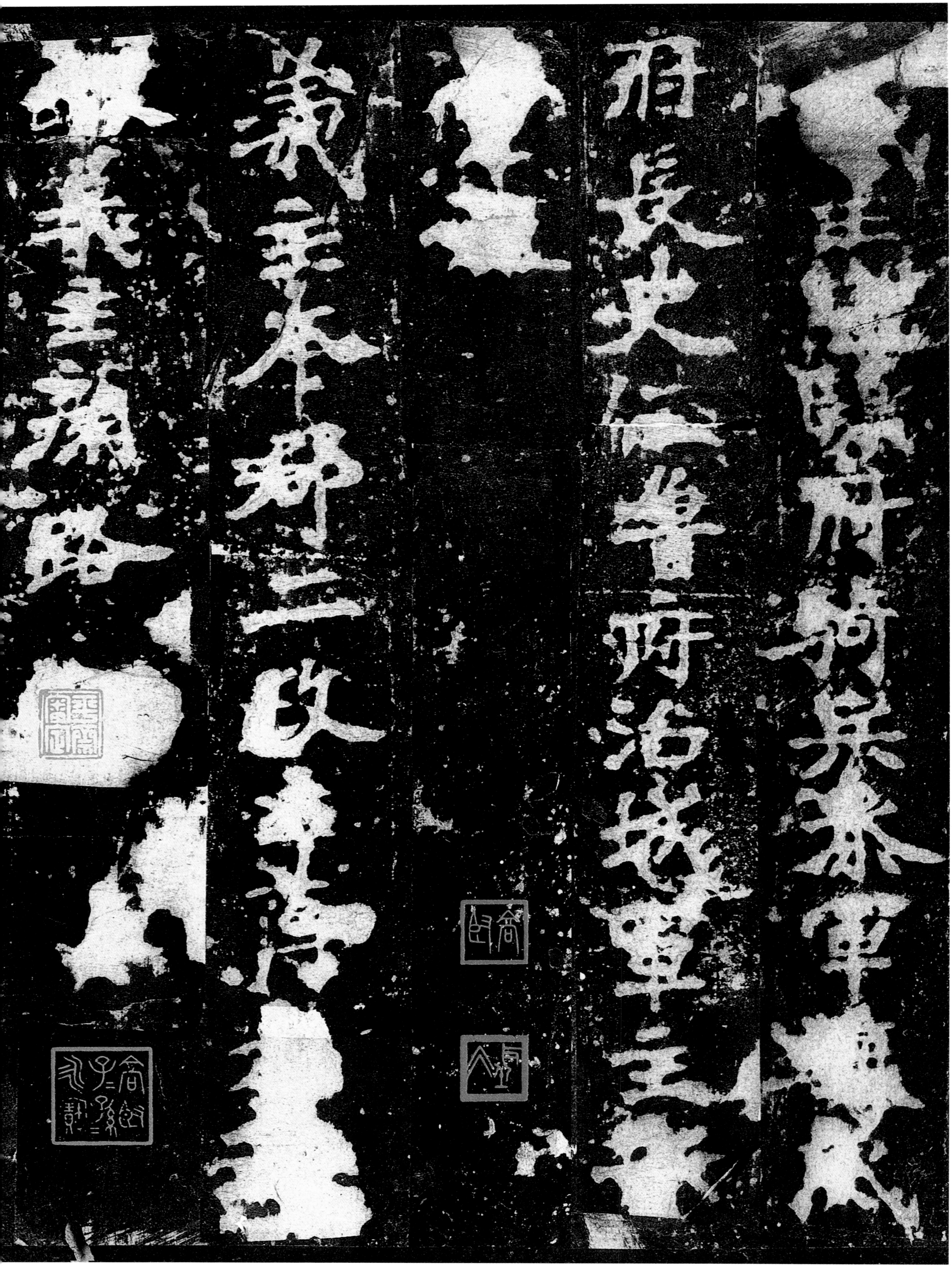

義主驤府騎兵參軍驤威府長史征魯府治城軍主□□□義主本郡二政主簿□□□義主顏路

義主離狐令宋承□□□汶陽縣義主南城令嚴孝武□□□賢文陽平縣義主州主簿王益生造頌四年正光三年正月

碑陰

郡中正爰孝伯中
正顏文遠
魯郡丞白法相
功曹史孔暉□

督魯弁新陽皇甫□
太□元栢暫汝陽弁
二縣令 魯縣令杜僧壽
汝陽縣令明景□

鄆縣令韓咸陽平縣令
衛安族 弁縣令□□
新陽縣令崔咸□□
魯郡士路等 孔文憘

韋希□
縣□□
宋進年 王崇吉
韋文祖 韋清龍

王天合
條[illegible]
[illegible]
王[illegible]

爰宗伯
王順叔
[illegible]
[illegible]遷

[illegible]文進
沈[illegible]叔
都神[illegible]
孫[illegible]

[illegible]隆
王長[illegible]
王悅[illegible]
王懷[illegible]

王但漢
[illegible]
[illegible]
王孫[illegible]

[illegible]度

相文
孔[illegible]
相朴
[illegible]事張伯奴

從事孔神杜
倉曹掾董某杞
倉曹掾朱暢祖
租曹掾夏采貢

曹掾李神房
倉曹掾卜循死
租曹掾夏騶騎
戶曹掾胡榮[illegible]

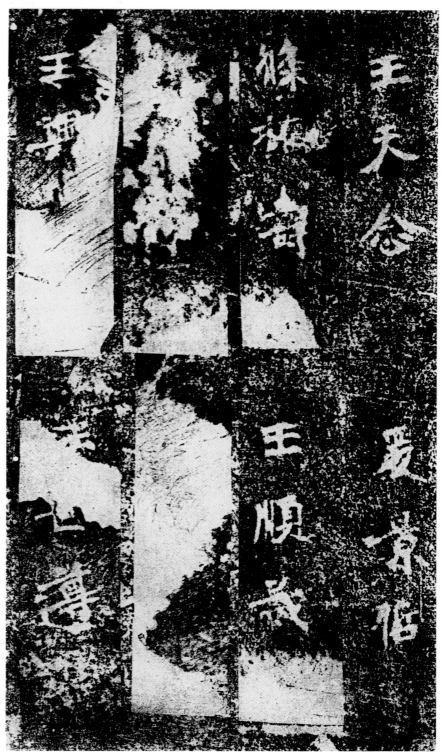

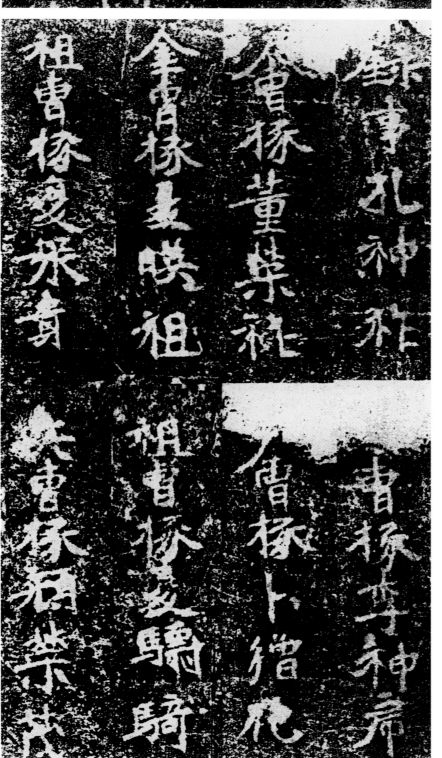

法曹掾□胡仁　法曹掾昔祖俊
兵曹掾孔景進　兵曹掾孫靈援
西曹佐呈桃符　西曹佐辰禁族
西曹佐嚴元會　戶曹佐卜天保

戶曹佐王□仁　戶曹佐邵甫標
戶曹佐樊道□　戶曹佐任榮侯
金曹佐董神景　金曹佐張靈祉
租曹佐任文達　租曹佐夏萬秋

租曹佐張叔德　兵曹佐昔桃符
兵曹佐夏文祠　法曹佐尚神暉
法曹佐□□□　法曹佐李□□
法曹佐常丘貴祥　兵曹佐孫道標

兵曹佐□巴憘　魯縣孫詳
□識　□□援
額驍　日及雅
襄住　王奇生

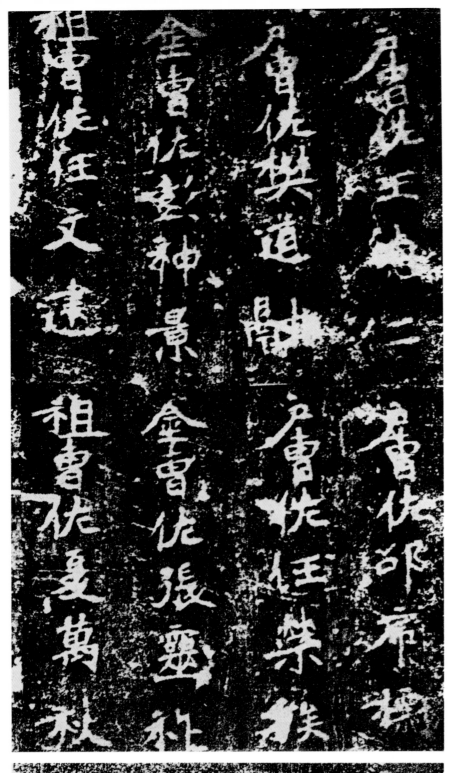

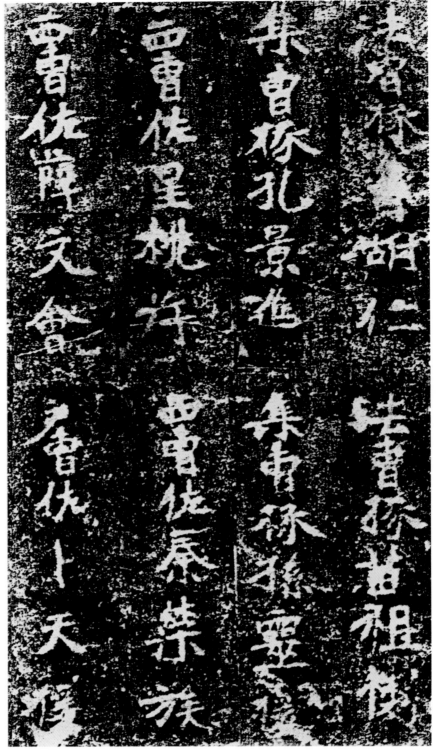

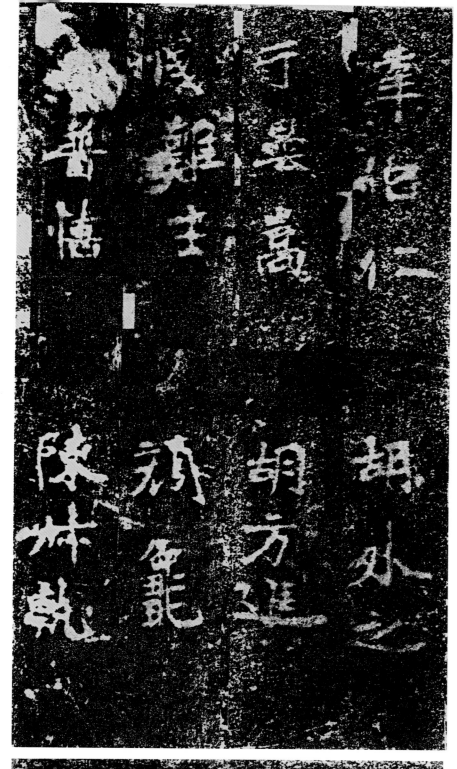

韋伯仁
可是高
賤雞主
魯德

胡外之
胡方進
孫龜
陳林熱

張神仙
覓
鄒天祐
抱聰明

[illegible]廣由
任道懷
高惟
張虎來

張閏
成惠
張花航
孫寄生

于安章
高景貴
許念
張陞

成瑞之
孔鼎之
顏章蘭
王道林

葉柏
顏化
張僧旦
張苟生

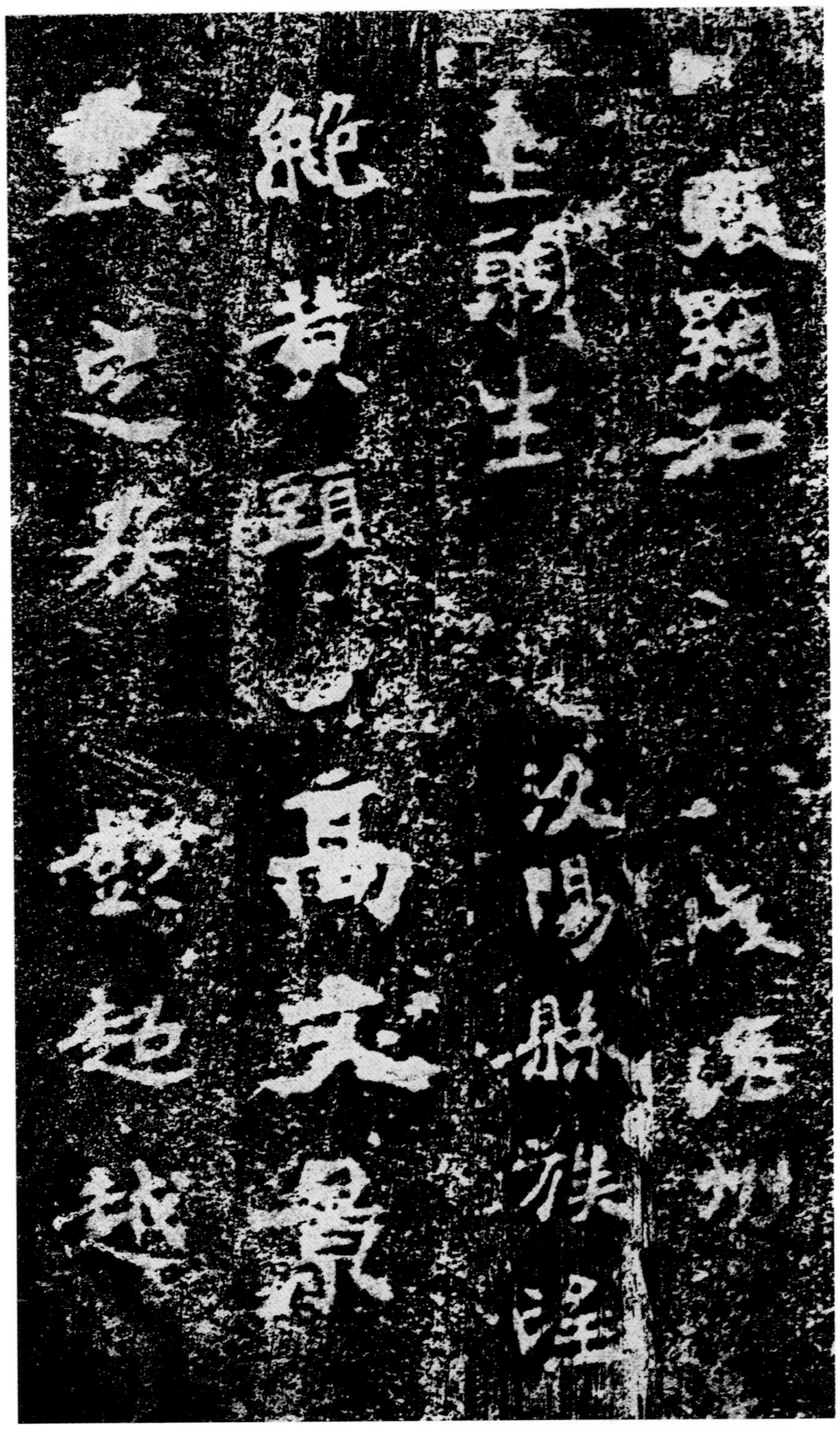

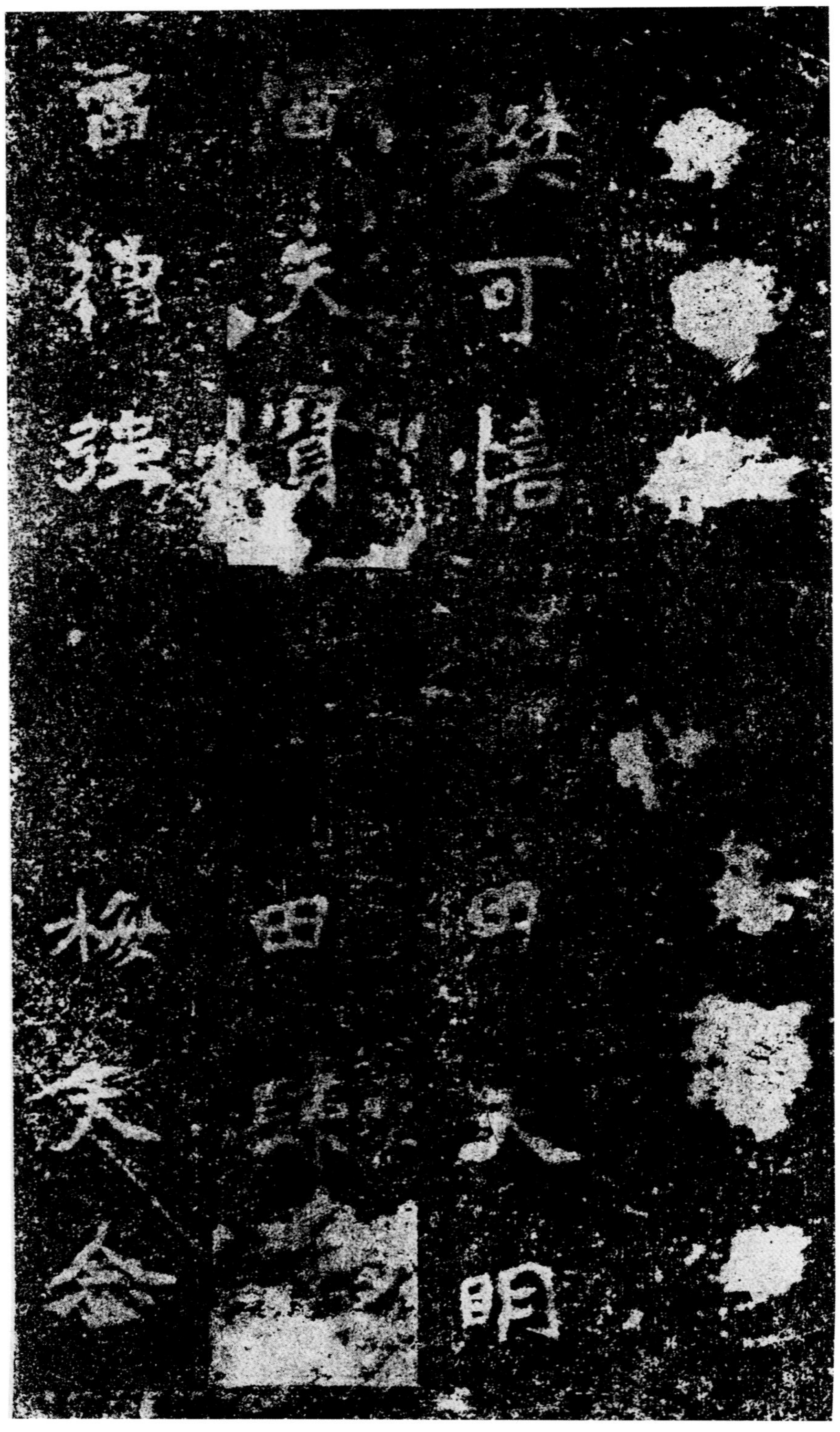